安房直子 絵ぶんこ7

北風《きたかぜ》のわすれたハンカチ

安房直子 文　eto 絵

1

くる日《ひ》もくる日《ひ》も北風《きたかぜ》の吹《ふ》く寒《さむ》い山《やま》の中《なか》に、熊《くま》の家《いえ》がありました。
そまつな家《いえ》でしたが、屋根《やね》には、とびきり大《おお》きなえんとつがついていて、とびらには、こんな紙《かみ》がはってありました。

どなたか音楽《おんがく》をおしえてください。
お礼《れい》はたくさんします。
くま

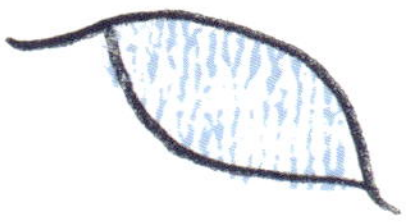
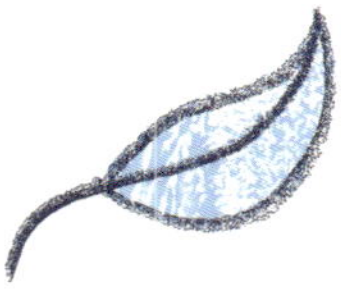

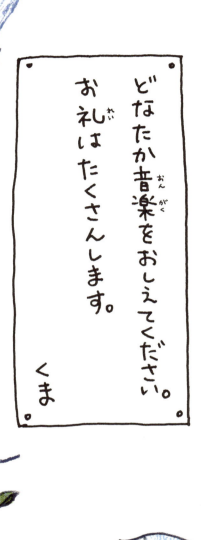

この家《いえ》の中《なか》に、月《つき》の輪熊《わぐま》が、のっそりと住《す》んでいました。熊《くま》はひとりぐらしでした。半年《はんとし》ほどまえに、とても悲《かな》しいことがあって、それからあと、ずっとひとりでくらしていました。

熊《くま》の家《いえ》の中《なか》には、ひじかけいすがひとつと白《しろ》い冷蔵庫《れいぞうこ》と、とても大《おお》きな薪《まき》ストーブがありました。ストーブは、いつも、ゴーゴーと燃《も》えていて、その上《うえ》で、お茶《ちゃ》のはいったやかんが煮《に》たっていました。

月《つき》の輪熊《わぐま》は、いつもひじかけいすにこしかけて、大《おお》きな湯《ゆ》のみでお茶《ちゃ》を飲《の》みながら、考《かんが》えごとをしていました。

この熊《くま》は、ことし四歳《さい》でした。熊《くま》は四つでおとなになるのです。それで、胸《むね》の白《しろ》いかざりは、くっきりと、すてきな三日月形《みかづきがた》をしていましたし、体《からだ》も、なかなかりっぱでした。けれども、心《こころ》は、まだすこし子《こ》どもでした。

「さびしくて、胸《むね》の中《なか》がぞくぞくするよ。」

熊《くま》は、ぼそっとつぶやきました。外《そと》では、山《やま》の木《き》が、ザワザワと鳴《な》っていました。

と、だれかが、とびらをたたく音《おと》が、かすかに聞《き》こえました。

「おやあ……。」

熊《くま》は、じっと耳《みみ》をすましました。

カタカタ、カタカタ、トン、トン、トン……

「風《かぜ》かな。」

熊《くま》は、首《くび》をかしげました。

カタカタ、カタカタ、トン、トン、トン……

やっぱり、だれかがたたいているのです。たしかにたしかに。

「はあい！」

熊《くま》は、すっくり立《た》ちあがると、ドアのほうへ歩《ある》いていきました。

重《おも》いとびらをひらくと、いきなりつめたい風《かぜ》が、ぴゅーっと吹《ふ》きこんできました。そして、風《かぜ》の中《なか》には、たしかに人《ひと》がいました。青《あお》い馬《うま》にのった青《あお》い人《ひと》が。

それを見《み》て、熊《くま》はなんとなくぞっとしました。どうも、いやな予感《よかん》がするなと思《おも》いました。なぜって、馬《うま》は、そのたてがみからひづめまでまっ青《さお》で、馬《うま》にのった男《おとこ》の人《ひと》も、髪《かみ》の毛《け》からつま先《さき》まで、つめたいつめたい青《あお》い色《いろ》をしていましたから。

けれども、その人《ひと》は、右手《みぎて》に、金色《きんいろ》のりっぱな楽器《がっき》をにぎっていました。熊《くま》は、それを見《み》つけて、きゅうに、心《こころ》が明《あか》るくなりました。

「あ、音楽《おんがく》をおしえにきたんですか。」

熊《くま》は、さけびました。

「…………。」

「あなたは、音楽《おんがく》の先生《せんせい》ですね。」

すると、その青《あお》い人《ひと》は、ふきげんにいいました。

「先生《せんせい》だって？　じょうだんじゃない、北風《きたかぜ》さ。」

「北風《きたかぜ》……。」

「ああ。ちょっと休《やす》ませてもらおうと思《おも》って寄《よ》ったのさ。もっとも、そのあいだに、音楽《おんがく》ぐらい、おしえてやってもいいけどね。」

「ああ、そんならいいんです。音楽《おんがく》さえおしえてもらえたら、北風《きたかぜ》さんだってなんだってかまわないんです。」

熊《くま》はうれしそうにいうと、青《あお》い人《ひと》を家《いえ》の中《なか》に入《い》れて、ひじかけいすをすすめました。北風《きたかぜ》は、そのたったひとつのいすに、とっぽりとこしかけました。

すると、熊《くま》は、こんどはお茶《ちゃ》をいれました。大《おお》きな湯《ゆ》のみをもうひとつだしてきて、ストーブの上《うえ》のやかんから、どぼどぼっとお茶《ちゃ》をつぎ、それを、不器用《ぶきよう》な手《て》つきで、北風《きたかぜ》にわたしました。

それから熊《くま》は、自分《じぶん》もすわろうとしましたが、すわるところがありません。しばらくきょろきょろしてから、たったひとつの自分《じぶん》のいすを、お客《きゃく》に貸《か》してしまったことにやっと気《き》がつくと、頭《あたま》をかきかき、床《ゆか》にすわりました。

「ところで北風《きたかぜ》さん。」

熊《くま》は、もう、うれしさをかくしきれないように、そわそわと、両手《りょうて》でひざをこすりながらたずねました。

「いったいそれは、なんという楽器《がっき》ですか。」

すると北風《きたかぜ》は、にやりとわらって、こういいました。

「それよりまえに、こっちが聞《き》きたいね。なんだって、とびらに、あんなはり紙《がみ》をしたんだい。」
「とってもさびしいからです。さびしいから、音楽《おんがく》をおぼえて、さびしくなくなりたいと思《おも》ったからです。」
「なんだって、そんなにさびしいのさ。」
「たったひとりなんだもの、ぼく。」
熊《くま》は、しょんぼりといいました。
「なぜひとりなんだい。」
「みんな死《し》んじゃったの。いつだったか、やっぱりこんな風《かぜ》の日《ひ》に、人間《にんげん》というやつがきてね、
父《とう》さんがドーンとやられて、
母《かあ》さんもドーンとやられて、
妹《いもうと》も弟《おとうと》もみんなおんなじで、

ぼくだけ残《のこ》ったんだよ。」

「それで、毎日毎日《まいにちまいにち》、泣《な》いてくらしたってわけかい。」

北風《きたかぜ》は、先《さき》まわりしました。すると、熊《くま》は、はげしく首《くび》をふりました。

「ううん、ぼくは、泣《な》いたりなんかしないよ。泣《な》くなんて、月《つき》の輪熊《わぐま》のすることじゃないからね。でも……。」

と、熊《くま》は、うつむきました。

「とってもさびしいんだ。胸《むね》の中《なか》を、風《かぜ》が吹《ふ》いてるみたいに。」

「なるほど。だけど、音楽《おんがく》をおぼえて、そのさびしさがなおるというわけのものでもないだろう。」

北風《きたかぜ》は、そういってわらいました。

「いいや、ぼく思《おも》うんだ。音楽《おんがく》をおぼえると、なにもかもわすれて、心《こころ》がひとすじにときすまされるだろうって。ひとりぼっちのさびしさも、みんなわすれられるだろうって。」

「なるほど。」

北風《きたかぜ》は、あいづちをうちました。熊《くま》は、北風《きたかぜ》の金色《きんいろ》の楽器《がっき》を見《み》やりながら、もういちど聞《き》きました。

「それ、いったい、なんという楽器《がっき》ですか。」

「これは、トランペットさ。」

「トラ……トラ……なに？」

熊《くま》は、口《くち》がまわりませんでした。

北風《きたかぜ》は、ひとつひとつくぎって、くりかえしました。

「ト・ラ・ン・ペッ・ト。」

「トランペット。」

「ああ。そのとおり。」

そういうと、北風《きたかぜ》は立《た》ちあがって、いきなり、このすてきなラッパを吹《ふ》きならしました。

なんと大《おお》きな音《おと》でしょうか。するどくて、輝《かがや》かしくて。熊《くま》はふと、自分《じぶん》のへやが、たちまち金色《きんいろ》に染《そ》まっていくような気《き》がしました。

「いいなあ……。」

熊《くま》は、目《め》をぱちぱちさせてさけびました。

けれども……じっと聞《き》いていると、トランペットは、さびしい楽器《がっき》でした。こんなにも大《おお》きな音《おと》がでるのに、ふしぎなほど、悲《かな》しいひびきをもっているのでした。まるで、しずんでゆく大《おお》きな夕日《ゆうひ》のように。

「ああ、ぼくもおなじだ。大《おお》きな体《からだ》してるのに、いつもいつもさびしくて。」

熊《くま》は、すっかりこの楽器《がっき》が気《き》に入《い》りました。そこで、北風《きたかぜ》が吹《ふ》きおわったときに、

「どれ、ぼくにもちょっと吹《ふ》かせてください。」

と、たのみました。北風《きたかぜ》は、トランペットを、たいせつそうに熊《くま》にわたしました。熊《くま》は、それを受《う》けとって、しっかりとにぎると、胸《むね》いっぱいに息《いき》をすいまし

た。それから、トランペットを、力《ちから》いっぱい、口《くち》にもっていきました。ほんとうに、力《ちから》いっぱい。

すると、
　ぐわーん！

トランペットは、熊《くま》の前歯《まえば》に、いきおいよくぶつかりました。

「いたたたたた。」

熊《くま》は、口《くち》をおさえてうずくまりました。

「だいじょうぶかい？」

と、北風《きたかぜ》は聞《き》きました。

「うん……。」

熊《くま》は、いたそうに、うなずきました。

「そうじゃないよ。トランペットのほうさ。」

北風《きたかぜ》は、熊《くま》の右手《みぎて》から、いそいでトランペットをもぎとると、たんねんにしらべました。

「あれあれ？　ちょっぴりキズがついたぞ。」

それから、やっと熊《くま》のほうを見《み》て、

「きみのほうは、どうなんだい。」

と、たずねました。

「だ、だいじょうぶだよ。」

熊《くま》は、こもるような声《こえ》でそう答《こた》えましたが、なんだか、頭《あたま》がくらくらしました。じつは、トランペットをぶつけたひょうしに、前歯《まえば》が一本《ぽん》おれてしまったのでした。北風《きたかぜ》は、すぐにそれを見《み》つけると、

「歯《は》がおれたのかい。それじゃ、もうだめだなあ。」

と、いいました。

「もう、吹《ふ》けないの。」

熊《くま》は、おずおずと北風《きたかぜ》を見《み》あげました。

「ああ。トランペットは、もう見込《みこ》みがないね。」

なるほど、そうかもしれません。ものをしゃべると、熊《くま》の息《いき》は、ぬけおちた一

本《ぼん》ぶんの歯《は》のすきまから、まるで小《ちい》さな風《かぜ》のように、すうすうとぬけました。

「それじゃ、おだいじに。」

北風《きたかぜ》は、立《た》ちあがりました。

「もう、帰《かえ》るの。」

熊《くま》は、口《くち》をおさえて、ものたりなそうにいいました。

「ああ、仕事《しごと》がたくさんあるんでね。」

北風《きたかぜ》は、そういって、出《で》ていこうとしましたが、とちゅうで、

「そうだ。」

と、思《おも》いだしたようにふりかえりました。

「とびらのはり紙《がみ》に、〈お礼《れい》はたくさんします〉って書《か》いてあったっけな。あれをもらわなきゃ。」

「お礼《れい》だって？」

熊《くま》は、あいた口《くち》がふさがりませんでした。音楽《おんがく》のおの字《じ》もおしえてもらえずに、そのうえ歯《は》までおられて、お礼《れい》をくれですって……？

ところが、北風《きたかぜ》は、すぐに、こういいました。

「ぼくは、おまえさんのために、ずいぶん時間《じかん》をそんしたんだよ。身《み》のうえ話《ばなし》も聞《き》いてやったしね。それに、おまえさんは、自分《じぶん》で歯《は》をおってトランペットが吹《ふ》けなくなったんだから、音楽《おんがく》をおしえてやらないのは、ぼくのせいじゃない。そ

のうえぼくは、このだいじな楽器《がっき》にキズをつけられたんだからね。お礼《れい》ぐらいもらわなきゃ。」

なるほど、と、熊《くま》は思《おも》いました。

「それもそうだな。じゃ、きょうは、災難《さいなん》にあったつもりでお礼《れい》をあげましょう。」

熊《くま》はそういうと、北風《きたかぜ》を、冷蔵庫《れいぞうこ》へ案内《あんない》しました。

冷蔵庫《れいぞうこ》の中《なか》に、熊《くま》は、とっておきのだいじな食《た》べものをしまっていました。山《やま》ぶどうがひとかごと、パイナップルのかんづめがひとつ。

「へーえ、いいもの持《も》ってるじゃないか。」

北風《きたかぜ》は、大《おお》きな声《こえ》をあげました。熊《くま》は、はらはらしました。

「でも、あんまりたくさんはだめだよ。それしかないんだから。」

けれど、北風《きたかぜ》は、ものもいわずに、青《あお》い手《て》をにゅっとのばして、パイナップルのかんづめをつかみました。

INEAPP
ICED

「あ、ああ、それは……。」

熊《くま》は、なにかいおうとしましたが、北風《きたかぜ》は、かんづめを、すばやくマントの中《なか》に入《い》れて、あいさつもせずに出《で》ていきました。

「あああ。」

熊《くま》は、バタンと、冷蔵庫《れいぞうこ》のとびらをしめて、どすんとひじかけいすにすわりました。体《からだ》じゅうの力《ちから》がぬけて、まえよりよけいさびしくなりました。

2

熊《くま》は、それでも音楽《おんがく》をならいたいと思《おも》っていました。

きょうこそ、ほんとうの音楽《おんがく》の先生《せんせい》がくるんだ――そう信《しん》じて、くる日《ひ》もくる日《ひ》も待《ま》ちました。

ある日《ひ》、熊《くま》の家《いえ》のとびらをたたく人《ひと》がありました。

カタカタ、カタカタ、トン、トン、トン

「はあい、いまあけます。」

熊《くま》は、かけよって、ドアをあけました。すると、風《かぜ》の中《なか》に、青《あお》い馬《うま》にのった青《あお》い人《ひと》がいました。

「あれ、また?」

熊《くま》は、あっけにとられて、大《おお》きな口《くち》をあけました。でも、こんどは女《おんな》の人《ひと》でし

た。長《なが》い髪《かみ》の毛《け》が、青《あお》あおと風《かぜ》におどっていました。

「へえ、こんどは北風《きたかぜ》のおかみさんかい。」

熊《くま》はさけびました。大《おお》きな青《あお》い目《め》が、石《いし》のようにじっと熊《くま》を見《み》ていました。熊《くま》は、どうもへんな胸《むね》さわぎがしましたから、大《おお》いそぎでいいました。

「あんたのだんなは、とっくにここを通《とお》りましたよ。一週間《しゅうかん》もまえにね。」

すると、青《あお》い女《おんな》の人《ひと》は、すましてこういいました。

「知《し》ってますよ。わたしたち、山《やま》三つぶん、あいだをおいて走《はし》っているんだもの。日《ひ》にちにすれば、ちょうど一週間《しゅうかん》になるでしょうよ。」

なるほど、山《やま》三つぶんか、北風《きたかぜ》というのは、すてきなものだな、と、熊《くま》は思《おも》いました。

さて、もっとすてきなことに、この北風《きたかぜ》は、バイオリンをかかえていました。熊《くま》は、やっとそれを見《み》つけて、すっかりうれしくなりました。

「へえ、バイオリン持《も》ってるの。ぼく、バイオリン、だあいすきなんだ。ねえ、おしえてほしいな。」

　すると、北風《きたかぜ》のおかみさんは、ふふんとわらって、こういいました。

「まあちょっと休《やす》ませておくれ。あついお茶《ちゃ》とお菓子《かし》がもらえるといいね。」

「お茶《ちゃ》はあるけど、お菓子《かし》はないな。それでも、バイオリンをおしえてくれたら、いいものあげます。」

　熊《くま》は、そういいながら、この女《おんな》の人《ひと》を家《いえ》の中《なか》に入《い》れ、また、ひじかけいすをすすめました。北風《きたかぜ》は、青《あお》いスカートをひきずって、いすにすわりました。熊《くま》は、お茶《ちゃ》をつぎながらいいました。

「このまえはね、だんながトランペットを持《も》ってきたけど、とうとう吹《ふ》かずじまいだったよ。きょうはそれ、ひかせてくれるでしょ。」

　すると、北風《きたかぜ》のおかみさんは、手《て》をあぶりながらいいました。

「バイオリンも、なかなかむずかしいものでね。」

「そうだろうか……でも、いちばんやさしい曲《きょく》だったら、ぼくにだってひけるでしょ。」

「さあ、どうだろう。」

そういうと、北風《きたかぜ》のおかみさんは、ケースをあけて、くり色《いろ》のバイオリンをとりだしました。熊《くま》は、まばたきもしないで、それを見《み》ていました。

「じゃ、お手本《てほん》に、ひとつひいてみよう。」

北風《きたかぜ》のおかみさんは、立《た》ちあがって、メヌエットをひきはじめました。

メヌエット……なんてまろやかな名《な》まえでしょうか。ほそい糸《いと》がふるえて生《う》まれる、ひとつひとつの音《おと》は、銀色《ぎんいろ》のはしごをつくっていくのです。熊《くま》は、さびしい心《こころ》をもったまま、その音楽《おんがく》のはしごを、ずんずんのぼっていけばよいのです。

すると、さびしい心《こころ》は、ふっと軽《かる》くなって……。

「音楽《おんがく》を聞《き》いてると、心《こころ》が月《つき》までとどくんだな、きっと。」

熊《くま》は、うっとりとつぶやきました。メヌエットがおわったとき、熊《くま》はいいました。

「ぼくも、ひいてみたい。」

「じゃ、ちょっとだけさわってごらん。」

北風《きたかぜ》のおかみさんは、バイオリンをわたしました。熊《くま》は、すこしふるえる手《て》でそれを受《う》けとって、あごのまん中《なか》に、きゅっとはさみました。

「ああ、だめだめ、そんなかっこうじゃ。」

北風《きたかぜ》のおかみさんは、あわててバイオリンをとりもどすと、熊《くま》の左《ひだり》あごにそっとあて、右手《みぎて》に、かるく弓《ゆみ》をにぎらせました。なかなかすてきなポーズになりました。熊《くま》は、あのメヌエットのすばらしい調《しら》べを胸《むね》にうかべて右手《みぎて》の弓《ゆみ》を、そっとそっと、ほそい糸《いと》にこすりつけました。

するど、どうでしょう。

キ、キ、キ、キィー

体《からだ》じゅうに、とりはだがたつほどいやな音《おと》がでました。熊《くま》は、息《いき》がとまるほどびっくりしました。胸《むね》が、ドキンドキンとなりました。

しばらくして、熊《くま》は、目《め》を白黒《しろくろ》させながらやっとひとこと、

「いったい、どういうわけだろ。」

といいました。

「あんたには、すこしむりなんだよ。」

北風《きたかぜ》のおかみさんは、さもばかにしたように、バイオリンをとりあげて、さっさとケースにしまいました。

「どうして？　ねえ、どうして？　ドレミファから、ちゃんとならってもだめだろうか。」

熊《くま》は、追《お》いすがるようにいいました。

「まあ、むりだろうね。」

そういうと、北風《きたかぜ》のおかみさんは、立《た》ちあがりました。それから、

「お礼《れい》をもらわなきゃ。」

と、いいました。

「お礼《れい》？　なんにもおしえてくれないのに？」

熊《くま》は、びっくりしてさけびました。

「あんたには、素質《そしつ》がないんだもの、おしえようにも、おしえられないじゃないの。それなのに、あたしは、あんなにきれいなメヌエットを、ひいてあげたのよ。」

なるほど、世《よ》の中《なか》って、そういうものかなと、熊《くま》は思《おも》いました。そこで、北風《きたかぜ》

のおかみさんを、冷蔵庫《れいぞうこ》へ案内《あんない》しました。

「まあ、おいしそうなぶどうだこと。」

北風《きたかぜ》のおかみさんはさけびました。それから、

「これみんな、もらっていくわ。」

と、熊《くま》の返事《へんじ》も聞《き》かずに、山《やま》ぶどうのかごをかかえました。

「あ、ああ、ああ……。」

熊《くま》は、あっけにとられて、そうさけんだだけでした。そして、そのときあいた口《くち》は、いつまでもふさがりませんでした。北風《きたかぜ》が出《で》ていってしまった、ずっとあとまで。

3

熊《くま》のくらしは、さびしくなりました。冷蔵庫《れいぞうこ》はからっぽになったし、前歯《まえば》もぬけてしまったし。

熊《くま》は、ひじかけいすにすわって、小声《こごえ》で、うたうようにいいました。

「父《とう》さんがドーンとやられて、
母《かあ》さんもドーンとやられて、
妹《いもうと》も弟《おとうと》もみんなおんなじで……。」

涙《なみだ》がポロンとこぼれました。熊《くま》は、大《おお》いそぎで目《め》をこすって、ごくっとお茶《ちゃ》を飲《の》みました。

「きょうは、なんて寒《さむ》いんだろう。」

ほんとうに、おそろしく寒《さむ》い日《ひ》でした。薪《まき》をくべてもくべても、背中《せなか》のあたり

がぞくぞくしました。

「寒波《かんぱ》っていうやつがきたのかな。」

熊《くま》は、ぽつんといいました。

ちょうどそのとき、戸《と》の外《そと》で、だれかが呼《よ》びました。

「ごめんください。」

「はあい。」

熊《くま》はさけびました。そして、立《た》っていきました。ああ、やっぱりお客《きゃく》はいいな、と思《おも》いながら。

ところが、こまったことに、ドアがあきません。カギもかけていないのに、どうしたことでしょう。いくらおしても、びくとも動《うご》かないのです。ははあ、これは、むこう側《がわ》に、だれかが大《おお》きな荷物《にもつ》を置《お》いたんだなと、熊《くま》は思《おも》いました。そこで、とびらに両手《りょうて》をかけて身《み》がまえると、体《からだ》じゅうの力《ちから》をこめておしました。

「よいしょ！」

とびらは、やっと半分《はんぶん》あきました。

すると……外《そと》は、まっ白《しろ》でした。熊《くま》の家《いえ》は、もう半分《はんぶん》雪《ゆき》にうずまっているのでした。

「はあ、おどろいた、雪《ゆき》だ。」

熊《くま》は、白《しろ》い息《いき》をはきました。

この雪《ゆき》の中《なか》に、やっぱり、青《あお》い馬《うま》にのった青《あお》い人《ひと》が立《た》っていました。

「うわあ、また。」

熊《くま》は、あきれかえって、棒《ぼう》のように立《た》ちすくみました。けれど、こんどの北風《きたかぜ》は、まだ子《こ》どもでした。小《ちい》さな少女《しょうじょ》が、木馬《もくば》のような馬《うま》に、ふわりとまたがっていたのです。まるで、青《あお》い花《はな》びらのように。少女《しょうじょ》は、母《かあ》さんゆずりの長《なが》い髪《かみ》の毛《け》を風《かぜ》になびかせて、

「熊《くま》さんこんにちは、お元気《げんき》ですか。」

と、あいさつしました。熊《くま》は、目《め》をしばしばさせながら、やっとひとこと、まる

で本《ほん》でも読《よ》むように、

「おかげさまで、元気《げんき》です。」

と、答《こた》えました。ふりしきる雪《ゆき》のヴェールのむこう側《がわ》に、青《あお》い少女《しょうじょ》は、夢《ゆめ》のようにかすんで見《み》えました。

それにしても、こんなに感《かん》じのいいお客《きゃく》ははじめてだなと、熊《くま》は思《おも》いました。

そこで、ドアを大《おお》きくあけて、

「どうぞ。」

と、いいました。

北風《きたかぜ》の少女《しょうじょ》は、とてもスマートに馬《うま》からおりました。青《あお》い乗馬《じょうば》ぐつが、なかなかすてきでした。

熊《くま》は、少女《しょうじょ》を家《いえ》の中《なか》に入《い》れて、あのひじかけいすをすすめました。それから、心《こころ》をこめてお茶《ちゃ》をいれました。

「あいにく、お菓子《かし》がなんにもなくて。」

熊《くま》は、いつかのパイナップルや、山《やま》ぶどうがあったらな、と思《おも》いました。

「このところ、災難《さいなん》つづきでね。」

熊《くま》は、頭《あたま》をかきました。すると、北風《きたかぜ》の少女《しょうじょ》は、明《あか》るくいいました。

「お菓子《かし》なら、いっしょにホットケーキを焼《や》きましょう。」

「…………。」

熊《くま》は、口《くち》をモゴモゴさせながら、心《こころ》の中《なか》で、ホットケーキって、どんな食《た》べものだろうと思《おも》いました。それから、ぼそっとひとこと、

「でも、材料《ざいりょう》がなんにもないよ。ぼくの冷蔵庫《れいぞうこ》、からっぽなんだ。」

と、いいました。

「みんな、あたしが持《も》ってるわ。」

北風《きたかぜ》の少女《しょうじょ》は立《た》ちあがって、ポケットから青《あお》いハンカチをとりだすと、いすの上《うえ》にひろげました。

「あたし、魔法《まほう》がつかえるの。ね、むこうむいてて。」

そこで、熊《くま》は、壁《かべ》のほうをむきました。

「数《かず》、五十かぞえてちょうだい。それまでふりむいちゃだめよ。」

「うん。」

熊《くま》は、素直《すなお》にうなずくと、両手《りょうて》の指《ゆび》を、何度《なんど》も、おったりひらいたりしながらかぞえはじめました。五十という数《かず》は、めんどうなものです。それでも熊《くま》は、いわれたとおり、いっしょうけんめいかぞえて、「五十」といっしょに、くるりとふりむきました。

すると、どうでしょう。

あのハンカチの上《うえ》には、ホットケーキの材料《ざいりょう》が、ちゃんとのっているのでした。はちみつがひとかんと、粉《こな》とたまごと、ふくらし粉《こ》まで。

「ふわー。」

熊《くま》は、目《め》をまるくしました。こんなにすばらしいことがまたとあるでしょうか。

(なんだか、おもしろくなってきたぞ。)

熊《くま》は、いそいそと、フライパンとお皿《さら》の準備《じゅんび》をしました。

北風《きたかぜ》の女《おんな》の子《こ》は、材料《ざいりょう》を、じょうずにまぜあわせて、まあるいケーキを焼《や》きました。片面《かためん》が焼《や》きあがると、うまいぐあいに、ぽーんとひっくりかえして。熊《くま》は、もう、息《いき》をつくのもわすれて、それを見《み》ていました。

やがて、ふたりぶんのホットケーキが、ふっくらと焼《や》きあがりました。その上《うえ》に、はちみつが、たっぷりとかけられたとき、熊《くま》は、うれしくて、胸《むね》がほかほかしてきました。こんな気持《きも》ちは何《なん》か月《げつ》ぶりでしょう。

ふたりでホットケーキを食《た》べながら、熊《くま》は思《おも》いました。この楽《たの》しいおやつの時間《じかん》が、いつまでも、いつまでもつづいてほしいと。けっしておわらないでほしいと。

外《そと》は、まだ雪《ゆき》でした。

熊《くま》の家《いえ》の、たったひとつの小《ちい》さな窓《まど》は、雪《ゆき》あかりで、ほおっと明《あか》るくなりました。ふと、北風《きたかぜ》の少女《しょうじょ》は、いいました。

「ねえ、知《し》ってる？　雪《ゆき》も、落《お》ちてくるときは音《おと》をたてるのよ。」

「…………。」

熊《くま》は、びっくりしました。雪《ゆき》ほど静《しず》かなものはないと思《おも》っていたからです。

「雪《ゆき》は、ほと、ほと、ほと、って、うたいながら落《お》ちてくるのよ。」

「そう！」

熊《くま》は、じっと耳《みみ》をすましました。

…………

ほと、ほと、ほと、ほと、

…………

小《ちい》さな小《ちい》さな音《おと》でした。けれど、やさしいあたたかい音《おと》でした。白《しろ》い花《はな》が散《ち》るときも、こんな音《おと》がするでしょうか。月《つき》の光《ひかり》がこぼれるときも、こんな音《おと》がするでしょうか。

熊《くま》は、うっとりと雪《ゆき》の歌《うた》に聞《き》きいりました。北風《きたかぜ》の子《こ》は静《しず》かにいいました。

「風《かぜ》にだって、雨《あめ》にだって歌《うた》があるわ。木《こ》の葉《は》だって、あたしが通《とお》りぬけるとき、すてきな歌《うた》をうたうわ。ざざざーって。お花《はな》もみんな、一輪《りん》ごとに、歌《うた》をもっているわ。」

熊《くま》は、うなずきました。少女《しょうじょ》のいうことが、よくわかるような気《き》がしました。けれど、そのあとすぐに、熊《くま》は、こう思《おも》いました。それがわかるのは、この子《こ》がそばにいるからではないだろうかと。この子《こ》が遠《とお》くへ行《い》ってしまったら、また、なにも聞《き》こえない、さびしい自分《じぶん》になってしまうのではないだろうかと。

とつぜん、熊《くま》は、やりきれないほど、悲《かな》しくなりました。

「あのう……あのう……むりなお願《ねが》いかもしれないけど。」

熊《くま》は、そういいかけて、だまりました。むりにきまっていると思《おも》ったからです。なぜって、この子《こ》は北風《きたかぜ》なのでしたから。熊《くま》とは、別《べつ》の世界《せかい》の人《ひと》なのでしたから。

北風《きたかぜ》の少女《しょうじょ》は、熊《くま》の心《こころ》を知《し》っていました。そこで、しょんぼりと、小《ちい》さな声《こえ》でいいました。

HONEY

「あたしね、そろそろでかけなければならないの。父《とう》さんと母《かあ》さんのあいだは山三《やま》つぶん。母《かあ》さんとあたしのあいだも、山三《やま》つぶん。けっして、それよりはなれてはいけないの。それが、北風《きたかぜ》の国《くに》のきまりなんだもの。」

熊《くま》は、悲《かな》しくうなずきました。

北風《きたかぜ》の女《おんな》の子《こ》は、立《た》ちあがっていいました。

「熊《くま》さん、むこうをむいていて。」

熊《くま》は、素直《すなお》に立《た》ちあがると、壁《かべ》のほうをむきました。

「数《かず》、五十かぞえてちょうだい。それまでふりむいちゃだめよ。」

「ああ……。」

熊《くま》は、うなずくと、大《おお》きな声《こえ》でかぞえはじめました。

「ひとーつ、ふたーつ、みっつ……。」

かぞえながら、熊《くま》は、なにもかも知《し》っていました。しばらくしてから、少女《しょうじょ》

が足音《あしおと》をしのばせて、ドアのほうへ歩《ある》いていったのも、ドアがそっとあいて、そっとしまったのも、それから、外《そと》で馬《うま》がいないないて、風《かぜ》が、ザザーっと吹《ふ》いたのも。

でも、熊《くま》は、知《し》らないふりをして、泣《な》きたいのをじっとがまんして、数《かず》をかぞえました。約束《やくそく》どおり、やっとの思《おも》いで五十まで。

「もういないんだな。」

熊《くま》は、そうつぶやいてふりかえりました。

だあれもいないへやに、ひじかけいすだけが、ばかに大《おお》きく見《み》えました。

そして、その上《うえ》に、さっきの青《あお》いハンカチが、ふわりと置《お》いてあったのです。

「やあ、わすれものだ。」

きゅうに、熊《くま》の心《こころ》は、明《あか》るくなりました。

「これは、魔《ま》法《ほう》の道《どう》具《ぐ》だっけ！」

このハンカチの上《うえ》に、さっきあの子《こ》は、ホットケーキの材料《ざいりょう》を、みごとにならべたのです。

「ぼくにもできるかしら。」

熊《くま》は、ハンカチを、いそいそといすの上《うえ》にひろげました。それから目《め》をつぶって、ゆっくりと五十かぞえて、こわごわ目《め》をあけました。

けれど、ハンカチの上《うえ》は、からっぽでした。

「ふうん……。」

熊《くま》は、がっかりしました。

「あの子《こ》がやらなくちゃ、だめなんだな。」

けれど、このとき、熊《くま》は、すてきなことに気《き》づきました。

(あの子《こ》は、またここへくるかもしれないぞ。)

そうです。だいじなハンカチをわすれたのですから、このつぎここを通《とお》ったときには、きっと寄《よ》ってくれます。

「そうだ、くるにきまってる。あたし、ハンカチわすれなかったかしら、なんていってね。」

熊《くま》は、楽《たの》しいひとりごとをいいました。それから、ハンカチを、小《ちい》さく小《ちい》さくたたみました。

「だいじにしまっておいてあげよう。どこがいいかな。」

へやの中《なか》を、きょろきょろ見《み》まわして、さんざん考《かんが》えたすえ、熊《くま》は、すてきなしまい場所《ばしょ》を思《おも》いつきました。

それは、自分《じぶん》の耳《みみ》の中《なか》でした。

「うん、ここなら安心《あんしん》だ。」

熊《くま》は、ハンカチを、片方《かたほう》の耳《みみ》の中《なか》に入《い》れました。

すると、どうでしょう。

とつぜん、ふしぎな音楽《おんがく》が聞《き》こえてきたのです。

　ほと、ほと、ほと、ほと……

ああ、それは、雪《ゆき》の音《おと》でした。さっきよりも、もっとあざやかな雪《ゆき》のコーラスなのでした。

「やっぱり、魔法《まほう》のハンカチだ！」

熊《くま》は、目《め》をパチパチさせてさけびました。それから、ひじかけいすにこしかけ

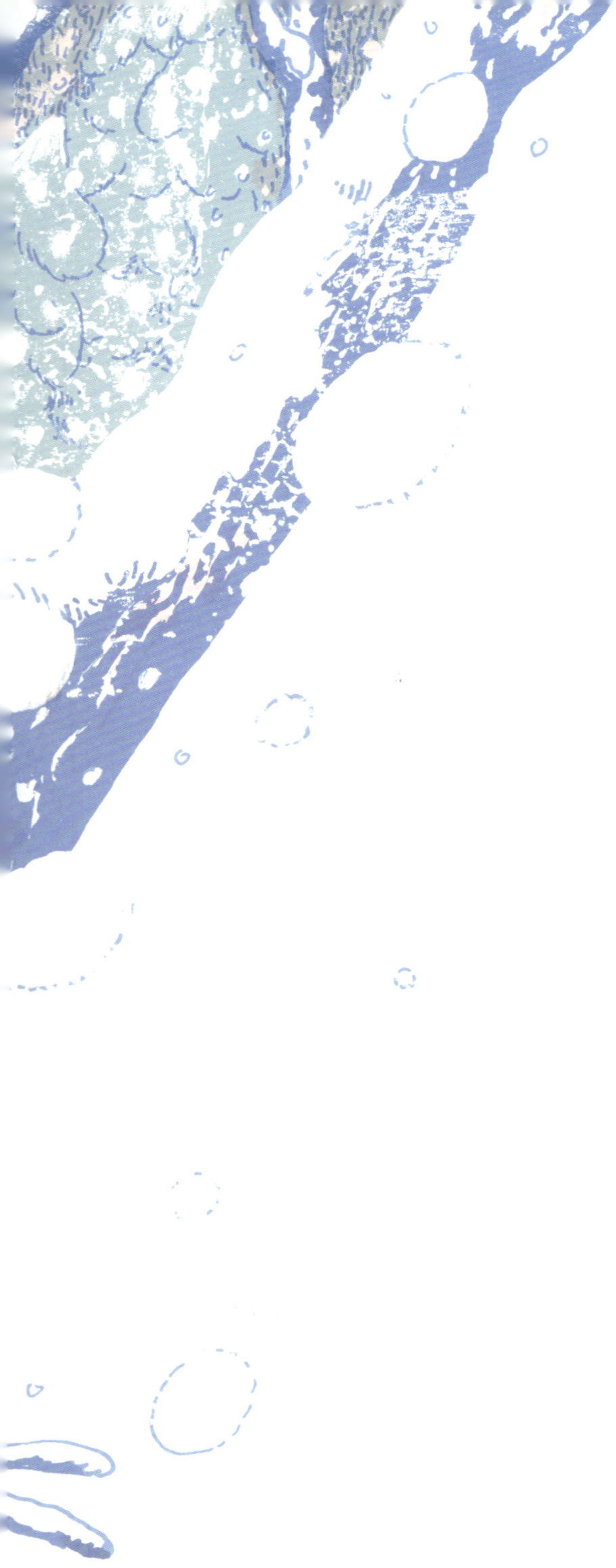

て、うっとりと目《め》をつぶりました。
雪《ゆき》は、あとからあとからふりつもります。
いつか、熊《くま》の家《いえ》は、このやさしい雪《ゆき》にうもれていきました。屋根《やね》も、えんとつも、すっぽりと。
そして、家《いえ》の中《なか》では、耳《みみ》に、青《あお》いハンカチを、花《はな》のようにかざった熊《くま》が一匹《ぴき》、しあわせな冬《ふゆ》ごもりにはいったのです。